Tiny van der Plas & Ma

COUNTRY GARDEN
Theezakjes

LA RIVIÈRE
CREATIEVE UITGEVERS

Inhoud

Met dank aan de volgende bedrijven voor het ter beschikking stellen van materiaal:

- Douwe Egberts, Utrecht (De heer Henk Volmerink)
- Comar Creative, Tilburg
- Avec, Waalwijk
- Papicolor, Utrecht
- Mariette Verhees Art Stamps, 's Hertogenbosch
- Kars, Ochten
- De Papieren Regenboog, Utrecht
- Createek (Eric Noppen)

Ook willen wij Henriëtte van Lunen en Alice Boëtius bedanken voor de steun en de hulp bij het maken van dit boekje.

© 1997 La Rivière, creatieve uitgevers, Baarn
Alle rechten voorbehouden. Niets uit deze uitgave mag worden verveelvoudigd, opgeslagen in een geautomatiseerd gegevensbestand, of openbaar gemaakt, in enige vorm, of op enige wijze, hetzij elektronisch, door fotokopieën, opnamen, of enige andere manier, zonder voorafgaande schriftelijke toestemming van de uitgever.

ISBN 90 384 1207 X
NUGI 440

Uitgever: Anja Timmerman
Omslag: Studio Jan de Boer
Fotografie: Gerhard Witteveen, Apeldoorn
Illustraties: Tiny van der Plas, Marianne Perlot
Layout en zetwerk: Studio Imago, Amersfoort
Druk: Van der Wey bv, Hilversum

Deze uitgave is onderworpen aan een auteurs- en merkenrechtelijke licentie van Sara Lee/DE N.V., terzake van de afbeeldingen en het gebruik van de Douwe Egberts producten en (beeld)-merken, waaronder PICKWICK en TEA FOR ONE.

Voorwoord

Country garden thee: een zakje met
een heel natuurlijke en warme uitstra-
ling. Het is altijd weer een uitdaging
om met nieuwe zakjes iets leuks te
maken. Met deze country garden zakjes was dat helemaal geen probleem.
Ze zijn zo mooi, dat bijna alles wat we
probeerden goed uitkwam. Voor het
afwerken van de kaarten hebben we
veelal natuurlijke materialen gebruikt.
Ze zijn dan ook voor alle mogelijke
doeleinden geschikt. Veel plezier met
het maken van al deze gezellige
dingen!

Tiny van der Plas- van Nunen
Marianne Perlot

Inleiding

In dit boekje is als volgt met theezakjes gewerkt:

- vouwen
- decoupage
- embossing
- stempelen
- knippen met hoekjes- en randjes-schaar
- eenvoudige snijtechnieken

Basisbenodigdheden

- Theezakjes
- snijmat
- cocktailprikkers
- schaar
- potlood
- liniaal
- gum
- hobbymesje
- ribbelkarton
- houtlijm of andere witte lijm
- kaarten
- lint
- zoekmallen
- passepartout mallen
- ribbelmaster

Algemene werkwijze

Stempelen

Nodig
- stempels
- stempelkussen
- eventueel viltstiften om stempels mee in te kleuren

In dit boekje is gebruik gemaakt van 5 stempels van Mariëtte Verhees Art Stamps. Het bijtje, het Onzelieveheersbeestje (kijk maar eens goed op de verpakking van de theezakjes, daar staan ze ook op), de rieten mand, de houten ton en het grote raam.

Gebruik om te stempelen een stempelkussen. Dit kan zwart zijn, maar bruin of groen is ook heel mooi.

De kleine stempels kun je op het kussen drukken.

Bij het raam werkt dat precies andersom.

Leg het stempel neer of houdt het vast en dep met het stempelkussen de inkt op het stempel.

Eenmaal stevig neerdrukken en even goed aanduwen is voldoende voor een prachtige afdruk.

Maar ..... stempel eens op een stukje ecopapier of een restje donkergroen papier en knip dit netjes uit. Je ziet dat je dan ineens een bijna echte mand of ton hebt gemaakt.

Als je met een afbreekmesje langs de rand van de mand of ton snijd, kun je het fruit er als het ware zo inschuiven. Of ..... gebruik eens een speciale stempel-viltstift om het stempel mee in te kleuren. Je kunt dan verschillende kleuren door elkaar gebruiken en zo een mand maken met verweerde stukken erin.

Je moet een beetje experimenteren, het is niet moeilijk.

De stempels na gebruik onder de kraan schoonmaken.

Fruitkrans in elkaar plakken (decoupage)

Nodig
- Scotch Magic tape
- boekbinderslijm
- fijn papierschaartje

Knip het aantal aangegeven afbeeldingen uit.

Plak een of twee stukjes Scotch Magic tape dubbelgevouwen op je snijmat.

Leg een plaatje hier met een klein randje op.

Schuif de andere afbeeldingen in elkaar, ieder met een klein stukje op het tape.

Als de krans naar je zin is, plak je met behulp van een cocktailprikker voorzichtig de losse stukjes aan elkaar.

Verwijder het tape voorzichtig en plak de krans op.

Als je nog niet weet hoe je de krans in

elkaar wilt schuiven, wacht dan nog
even met werken op tape.
Zonder tape kun je veel sneller veran-
deren.
Het is trouwens erg leuk om met de
uitgeknipte afbeeldingen te schuiven.
Je kunt heel snel je eigen ontwerpen
maken door de afbeeldingen steeds
weer anders in elkaar te schuiven.
In dit boekje beginnen de meeste
kransen bovenaan en werk je meestal
met de wijzers van de klok mee.

Knippen met randjesscharen

Nodig
• hoekscharen (Fiskars)
• randjesscharen (Fiskars)

Een veel gestelde vraag is: "hoe gaat
dat hoekjes knippen nou precies in
zijn werk?".
Heb je een schaar met een klein randje, dan hoef je daar niet op te letten.
Echter, hoe groter de rand en hoe
eenvoudiger de vorm (zoals bij de
grote bogen) hoe meer je op de hoeken moet letten. Je moet dan altijd
eerst het papier knippen en zorgen
dan je de hoekjes goed krijgt.
Daarna ga je pas kijken hoe de afmetingen zijn en die pas je aan je ont-
werp aan.
Knip eerst een rand en meet dan uit
hoe groot je het papier ongeveer wilt
hebben.
Knip vervolgens de eerste hoek; je

kunt aan de manier waarop je de
schaar op het papier zet zien hoe die
wordt.
Bepaal de lengte (ongeveer) van deze
geknipte rand en knip de volgende
hoek.
Zorg ervoor dat je de schaar op
dezelfde plaats op het papier zet. Het
is een kwestie van een paar keer oefenen.
In de lengte knippen is heel eenvoudig.
Zorg ervoor dat je de schaar precies in
de afgeknipte vormen van het papier
zet.
Heb je moeite met recht knippen,
teken dan aan de achterkant een pot-
loodlijntje en knip daar precies langs.
De hoekscharen werken, het woord
zegt het al, alleen op de hoeken.
Je kunt er de hoeken mee afknippen,
en wel op 4 manieren.
Je moet het papier voorzichtig tussen
de schaar schuiven en daarbij de aangegeven lijnen volgen.
Duw je het papier een klein stukje
door, dan heb je een klein hoekje.
Duw je het papier helemaal door dan
heb je een grotere hoek.
Je kunt de schaar ook omdraaien en
dit alles herhalen.
Probeer het maar eens uit. Dan kun je
zelf nog hoekjes bedenken door scha-
ren te combineren.
Dus een grote hoek met bijvoorbeeld
de gele schaar en een kleine hoek met
de blauwe schaar. Ook dat is experimenteren.

De afgeknipte hoekjes kun je ook gebruiken om weer op te plakken.

Embossing

Nodig

- embossingstencils (serie hoekjes & randjes van de fa. Kars)
- lichtbak
- embossingpen
- embossingpapier

Je hebt altijd een lichtbron nodig om de openingen in het embossingstencil door het papier te kunnen zien. Bekijk eerst de voorkant van de kaart en plaats het stencil op de plaats waar je het wilt hebben (eventueel aan de kaart bevestigen met een stukje Scotch Magic tape) en draai daarna de kaart en stencil om en leg het op de lichtbak.
Controleer nogmaals of de te embossen afbeelding mooi in de hoek ligt of netjes in het midden.
Duw met de embossingpen voorzichtig het papier door de opening in het stencil.
Je hoeft alleen maar druk uit te oefenen langs de randen van de openingen.
Voor de grotere afbeeldingen gebruik je het grotere bolletje van de pen, voor de kleine openingen gebruik je het kleine bolletje.
Wel oppassen dat je het kleine bolletje niet door het papier duwt. Is de

embossingpen stroef, dan kun je de pen door je haren halen.
Denk maar eens aan de ouderwetse luierspelden.

Vouwen

Nodig

- zoekmallen
- passe-partout mallen
- ribbelmaster
- hoekponsen
- figuurscharen
- kaarten in natuur tinten
- sierknippapier
- luxe natuurpapier
- origamipapier
- dubbelzijdig plakfolie
- exotische bladeren
- lintjes
- oase voor droogbloemen
- satéprikkers
- groen bloemband
- groen papiertouw
- houten en spanen doosjes
- mobile stokjes

voor de oorbellen (blz. 4)

- kettelstiften
- oorhaakjes

- Voor een goed resultaat is het belangrijk dat de te vouwen papiertjes goed vierkant gesneden worden.
Dit gaat het beste met een metalen malletje.

- Witte papierlijm of houtlijm, met een cocktailprikker dun opgebracht, lijmt het beste.

- Grotere stukken papier kunnen het beste met dubbelzijdig plakfolie op een kaart geplakt worden. Het gaat dan niet bobbelen.

- Gebruik een stukje dubbelzijdig plakband om een vouwsel goed in elkaar te zetten. Leg hiervoor het eerste element met het middelpunt op het plakband en bouw zo de rozet op. Er kan nu nog met de elementen geschoven worden. Pas als alles goed zit de lijm ertussen doen.

- Vorm eerst een rozet of bloem en plak het geheel dan op de kaart.

- Door karton eerst horizontaal dan verticaal door de ribbelmaster te draaien, krijg je een wafel effect. Hoe groot het effect is, ligt aan de stijfheid van het karton.

Symbolen

dalvouw

heen en weer vouwen

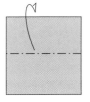

bergvouw

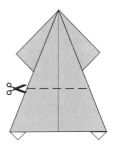

afknippen

omkeer pijl

rond draaien

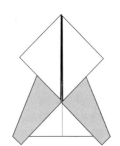

papier er onder uithalen

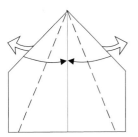

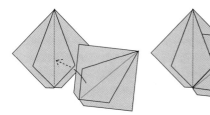

onder elkaar schuiven

Appel, kaneel en honing

Hierbij combineren vooral de ecokleuren, donkergroen en bruin prachtig.

Knippen
Knip netjes langs de rand van de afbeelding. Je kunt langs de kaneelstokjes knippen, maar je kunt ook het stukje tussen de stokjes en de appel wegknippen.

Afhankelijk van de manier waarop je de plaatjes neerlegt knip je een stel kaneelstokjes los van de appel.

Wil je de hier beschreven kaarten maken, knip dan het driehoekje tussen de appel en de stokjes weg en knip tussen de appel en het bovenste stel kaneelstokjes.

Kaart met appelkrans op het raam (eco)

Nodig
• 7 theezakjes appel, kaneel & honing
• raamstempel

Werkwijze
Stempel het raam op bruin papier en snijd alle raampjes weg. Knip het raam netjes uit en leg het op een ecokleurige kaart.

Geef de rand van het raam aan (de binnenkant) en snijd vervolgens een raam dat een paar mm groter is.

Plak het bruine raam op de kaart. Als je goed gesneden hebt past het precies en zie je geen randjes onder het raam uitsteken.

Plak een strookje ribbelkarton onder het raam en perforeer met de gaatjestang 2 gaatjes.

Perforeer een gaatje in een restje papier en plak er een *'Gefeliciteerd'* sticker op.

In dit geval is het driehoekje tussen de appel en de kaneelstokjes niet weggeknipt. Deze krans is erg makkelijk: leg het 1e plaatje neer (zoals afgebeeld op het theezakje) en leg het volgende er gedeeltelijk op.

Werk in de richting van de klok. Let er op dat de 2e appel de honingraat op het 1e plaatje afdekt en dat een stel kaneelstokjes van het 2e plaatje precies over een stel van het 1e plaatje valt.

Het staat er misschien een beetje ingewikkeld, maar als je beide plaatjes neerlegt zie je het vanzelf.

Groene kaart met appelkrans

Nodig
• 8 theezakjes appel, kaneel & honing
• raamstempel

Werkwijze
Stempel het raam op de kaart en snijd alle kleine raampjes uit. Knip de afbeeldingen uit, maar knip de kaneel-

stokjes niet los van de appel. Knip er aan de buitenkant langs.

Leg het eerste plaatje neer met de honingraat naar beneden. Leg het volgende plaatje er gedeeltelijk op, waarbij je goed op moet letten dat de honingraten een cirkel vormen. Werk met de wijzers van de klok mee. Plak de krans op het raam en plak er een raffiastrikje op.

Bruine kaart met appelkrans

Nodig
- 8 theezakjes appel, kaneel & honing
- embossingstencil met tekstwimpel

Werkwijze
Snijd in het lichte papier (afmeting 9 x 12 cm) een cirkel met een doorsnede van 2,5 cm. Snijd in het okergele papier (afmeting 9,5 x 13 cm) op precies dezelfde plaats een cirkel met een doorsnede van 3 cm.
Plak beide op elkaar en leg ze op de kaart.
Geef de opening aan en maak een cirkel van ruim 3 cm.
Plak nu alles vast.
Knip de plaatjes uit en knip nu het stukje weg tussen de onderste kaneelstokjes en de honingraat.
Met onderste kaneelstokjes bedoel ik die welke echt onder de andere stokjes liggen.
Maak de krans door het 1e plaatje neer te leggen (de appel links). Schuif

er een 2e plaatje onder en let erop dat de kaneelstokjes van het 2e plaatje over de kaneelstokjes van het 1e plaatje vallen.
Werk tegen de richting van de wijzers van de klok in.
De honingraat is niet meer te zien. Je kunt proberen kaneelstokjes van opvolgende plaatjes precies over elkaar te laten vallen. Je zult zien dat de krans dan groter wordt.
Embos het tekstwimpel en knip het ruim uit.
Plak het op de kaart en plak er daarna een tekststicker op.

Mand met appelen

Nodig
- 4 theezakjes appel, kaneel & honing
- stempels van rieten mand en bijtje
- randjesschaar

Werkwijze
De afmetingen van deze kaart zijn 10,5 x 10,5 cm. Het was een gewone kaart, maar er is een stukje afgesneden. Hij past in een gewone envelop.
Snijd een stukje zwart papier uit van 9 x 9 cm en knip met de randjesschaar een stukje zachtgeel gemarmerd papier van 8,5 x 8,5 cm en plak dit op elkaar.
Stempel de fruitmand op gekleurd papier en knip hem daarna uit.
Snijd de rand open, zodat je het fruit in de mand kunt schuiven.

Knip 2 afbeeldingen uit en knip daarbij het onderste blad een stukje los van de appel.
Als je het plaatje in de mand schuift, blijft er een stukje blad over de mand heen steken.
Schuif zo 2 plaatjes in de mand, met een losse appel.
Plak aan de achterkant de plaatjes tegen de mand. Er is nog een appeltje uit de mand gevallen.
Plak er een raffiastrikje op en stempel het bijtje boven de appels.

Cadeaulabeltje

Nodig
- 2 theezakjes appel, kaneel & honing
- stempels van ton en lieveheersbeestje

Werkwijze
Van een restje papier van 7,5 x 7,5 cm (dubbelgevouwen) maak je een leuk cadeaulabeltje.
Knip eerst met de randjesschaar een vierkantje van ongeveer 6,5 x 6,5 cm. Bij deze rand is het altijd erg belangrijk dat de hoekjes mooi worden.
In dit geval dus eerst met de randjesschaar knippen en daarna het papiertje op zwart papier plakken en met een paar mm uitsnijden.
Stempel de ton op groen papier en knip hem uit.
Snijd de rand open en schuif er een heel plaatje en een losse appel in.

Ook hier het blad een stukje losknippen van de appel.
Stempel eerst het Lieveheersbeestje in het hoekje en plak de ton er een stukje over.
Het lijkt nu net of hij achter de ton vandaan komt koekeloeren.

Vierkante vouwkaart met achthoekig passe-partout (model A)

Nodig
- 7 theezakjes appel, kaneel & honing
- kaart van 11,5 x 23 cm
- geel sierknippapier

Werkwijze
Leg het malletje van 4,7 x 4,7 cm net boven de tekst aan de onderkant.
snijd 7 papiertjes en vouw model A.
Teken de achthoekige mal over op de achterkant van het sierknippapier en snijd deze 0,5 cm groter uit.
Plak de achthoek met dubbelzijdig plakfolie op de dubbel gevouwen kaart, leg de mal hierop en snijd het passe-partout uit de kaart.
Er zit nu een rand van 0,5 cm op de bovenkant van de kaart.
Plak het uitgesneden stuk op de onderkaart en daarop weer het vouwsel.
Snij de rechter boven- en onderhoek schuin af.

Model A

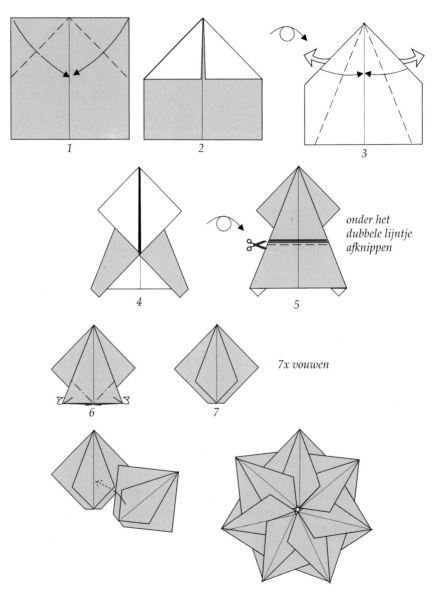

onder het
dubbele lijntje
afknippen

7x vouwen

Vierkante vouwkaart met takjes (model bloem 2)

Nodig
- kaart van 11,5 x 23 cm
- stukje natuur papier
- takjes mos
- 7 theezakjes appel, kaneel & honing

Werkwijze
Leg het malletje van 3,5 x 3,5 cm aan de onderkant met de gekleurde rand gelijk. Vouw bloem 2. Zorg er bij tekening 1 voor dat de tekst aan de linkerkant ligt. Vouw de kaart dubbel en plak met dubbelzijdig plakfolie een hoek natuurpapier op de kaart. Tot slot wat takjes mos en het vouwsel opplakken.

Model bloem 2

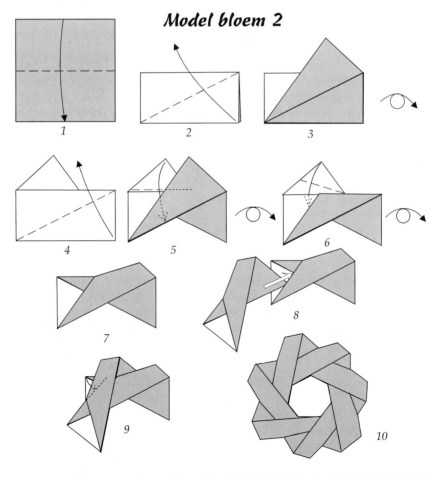

Vouwkaart met ingeschoven stuk ribbelkarton (model bloem 1)

Nodig

- kaart 15 x 21 cm
- reep bijpassend karton 7 x 15 cm
- 8 theezakjes appel, kaneel & honing

Werkwijze

Leg het malletje 3,5 x 3,5 cm boven de tekst aan de onderkant. Vouw bloem 1. Ribbel de reep karton en werk de hoeken af met en hoekpons. Maak links en rechts twee insnijdingen van 7,2 cm in de kaart. Schuif de geribbelde reep er doorheen en zet deze aan de rand met wat lijm vast. Plak het vouwsel midden op de kaart en maak ronde hoeken met een pons.

Model bloem 1

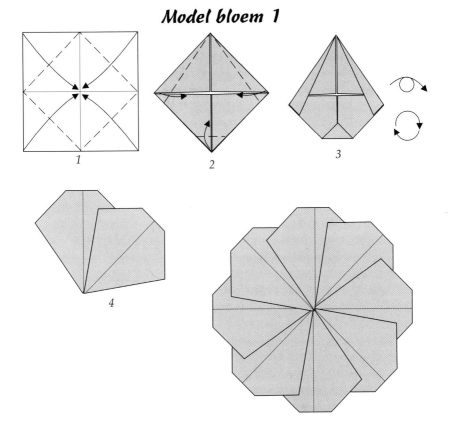

1

2

3

4

Abrikoos, perzik en kamille

Gebruik wit embossingpapier en knaloranje (uit de Papicolor-collectie) voor deze zomerse kaarten.

Knippen

Knip rondom de afbeelding. In bijna alle gevallen zijn de sprietjes die uitsteken boven de abrikoos, ook weggeknipt. De kleine sprietjes onder de kamille zijn eveneens weggeknipt. Knip zo strak mogelijk om de witte bloemen. Je kunt om de wat meer compacte sprieten tussen de witte bloemen en de perzik heen knippen.

Kaart met uitgesneden strik

Nodig
- 8 theezakjes abrikoos, perzik & kamille
- embossingstencil (serie hoekjes & randjes)
- randjesschaar

Werkwijze
Knip eerst met de randjesschaar (kijk bij de algemene werkwijze) het witte embossingpapier uit. De afmetingen zijn ongeveer 9,5 x 11,5 cm. Plaats het embossingstencil op het witte papier en teken met een scherpgeslepen HB potlood langs de randen. Haal het stencil weg en snijd voorzichtig de onderdelen langs de potloodlijnen uit. Embos de kleine bloemetjes in de hoeken.

Leg het eerste plaatje neer, met de bloemen naar beneden. Schuif er een 2e plaatje onder, met de wijzers van de klok mee. Let erop dat de hele abrikoos verdwijnt onder de perzik en dat de witte bloemen aan de binnenkant van de cirkel tegen elkaar aan liggen.

Kaart met embossingstrikjes

Nodig
- 7 theezakjes abrikoos, perzik & kamille
- embossingstencil (serie hoekjes & randjes)
- restje lint
- randjesschaar

Werkwijze
Knip een stuk wit embossingpapier (ongeveer 9,5 x 13 cm) uit. Embos de afbeeldingen van de strikken in de hoeken. Leg de afbeelding neer (met de witte bloemen naar beneden). Leg het 2e plaatje er gedeeltelijk op, waarbij de abrikoos de perzik voor een groot deel afdekt en op het randje van de witte bloemen ligt. De witte bloemen moeten een gesloten binnenkrans vormen.

Vouw een stukje lint (6 cm) dubbel en schuif het om de bovenkant van de

krans. Plak de bovenkant aan elkaar.
Plak de krans en het stukje lint op de
kaart en plak er een strik op.

Kaart met uitgesneden theepot

Nodig
- 10 theezakjes abrikoos, perzik & kamille
- embossingstencil theepot
- embossingstencil (serie hoekjes & randjes)

Werkwijze
De afmeting van de kaart is
12,5 x 12,5 cm, het oranje papier
10,3 x 10,3 cm en het witte embossingpapier 9,5 x 9,5 cm. Plaats het
embossingstencil met de theepot midden op het witte vierkant en teken
met een scherpgeslepen HB potlood
langs de randen. Leg het stencil weg
en snijd voorzichtig over de potloodlijnen.
Leg een krans om de theepot.
Leg het eerste plaatje boven de theepot met de bloemen naar boven.
Leg het 2e plaatje gedeeltelijk over het
1e tegen de richting van de wijzers
van de klok in. Let erop dat de abrikoos over de perzik ligt, ongeveer 1
mm voor de onderste witte bloem.
Als de krans goed ligt kun je hem netjes vastplakken.
Embos tot slot de bloemetjes in de
hoeken en plak alles op elkaar.

Vierkante oranje kaart

Nodig
- 6 theezakjes abrikoos, perzik & kamille
- embossingstencil (serie hoekjes & randjes)
- randjesschaar

Werkwijze
Vouw een normale kaart dubbel
en snijd er een stukje af zodat je
een vierkant overhoudt van
10,5 x 10,5 cm.
Knip met de randjesschaar een vierkant van ongeveer 8,5 x 8,5 cm en
embos een hartjes-decoratie in de
hoekjes.
Maak nu de krans. Leg het 1e plaatje
neer met de witte bloemen naar
boven.
Schuif er een 2e plaatje onder (werk
met de richting van de wijzers van de
klok mee) en let er op dat de abrikozen tegen elkaar aan liggen.

Cadeaulabeltje

Nodig
- 1 theezakje abrikoos, perzik & kamille
- embossingstencil (serie hoekjes & randjes)

Werkwijze
Gebruik je laatste restjes. Omdat je
van gewone kaarten vierkante kaarten

maakt, houd je altijd stukjes over.
Embos een kleine vlinder in de rech-
terbovenhoek en snijd voorzichtig
langs de vleugeltjes.
Neem nu een ander embossingstencil
en embos een rechthoek met stippel-
tjes (6 x 4 cm).
Plak het plaatje op en vouw de
vleugeltjes van de vlinder naar boven.
Plak dit op oranje papier en snijd het
met 2 mm af. Plak dat op een restje
wit papier.

Vouwkaart met groen blad
(model C)

Nodig
• 8 theezakjes abrikoos, perzik &
  kamille
• kaart van 10,5 x 30 cm
• exotisch blad

Werkwijze
Leg het malletje van 4,7 x 4,7 cm net
boven de tekst aan de onderkant en
vouw model C.
Plak het blad aan de rechterkant op
de kaart en snijd de bladvorm met een
smal randje uit.
Vouw de kaart zo dubbel dat de
onderkant van de kaart ± 2 cm langer
is dan de bovenkant.
Snij ± 1,5 cm versprongen de bladvorm ook uit de onderkaart en plak
het vouwsel op de kaart.

Model C

begin met fase 7 van model A

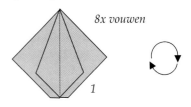

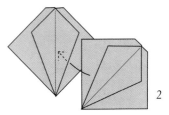

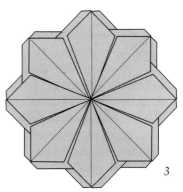

Vierkante vouwkaart met streepjes (model bloem 2)

Nodig
- kaart van 11,5 x 23 cm + een stukje van 8 x 8 cm
- stukje olifantshuid papier van 7 x 7 cm
- 7 theezakjes abrikoos, perzik & kamille

Werkwijze
Leg het malletje van 3,5 x 3,5 cm boven de tekst aan de onderkant.
Bij het vouwen erop letten dat bij tekening 1 de tekst aan de bovenkant ligt. Vouw bloem 2.
De kaart dubbelvouwen en het stukje olifantshuid papier op het kaartje van 8 x 8 cm plakken.
Dit geheel met het bloemetje diagonaal op de kaart plakken.

Vouwkaart met twee ruiten (model bloem 1)

Nodig
- kaart 10,5 x 30 cm
- stukje zijdevezelpapier
- zand
- 8 theezakjes abrikoos, perzik & kamille

Werkwijze
Leg het malletje van 3,5 x 3,5 cm boven de tekst aan de onderkant.
Bij tekening 2 is de bovenkant van het zakje ook de bovenkant van de tekening.
Vouw bloem 1. Snij met de schuine passe-partout mal 2 x een ruit uit dubbelzijdig plakfolie.
Maak één ruit 0,5 cm kleiner.
Op de kleine ruit zijdevezelpapier plakken. Dan de kleine ruit op de grote plakken.
Deze op de kaart plakken en zand strooien op het overgebleven smalle randje.
Maak op dezelfde wijze nog een kleinere ruit en plak deze gedeeltelijk over de grootste.
Plak als laatste de bloem erop. Werk de hoeken af met een hoekschaar.

Braam, peer en zoethout
(foto blz. 23)

Deze plaatjes lenen zich ook uitstekend voor kransen.
Door ze steeds weer anders in elkaar te schuiven krijg je hele verrassende creaties.
Het gele gemarmerde papier koop je bij een kopieerwinkel.

Knippen

Je kunt netjes rondom de hele afbeelding knippen, ook tussen de stokjes zoethout.

Blauwe kaart met raam en krans

Nodig

- 10 theezakjes braam, peer & zoethout
- raamstempel

Werkwijze

Stempel het raam op blauw papier.
Snijd de kleine raampjes uit en knip vervolgens het hele raam uit.
Leg het op een andere kleur papier (okergeel uit de Papicolor-collectie) en geef de opening aan.
Snijd deze opening weg en plak het raam op. Snijd het okergele papier uit (8,5 x 12 cm) en plaats het op de blauwe kaart.
Geef nogmaals de opening van het raam aan en snijd het raam ruim uit de blauwe kaart.

Plak nu alles op elkaar. Je ziet dat je nu door het raam heen kunt kijken.
Leg het 1e plaatje voor je neer (de peer aan de bovenkant) en schuif het 2e plaatje onder het 1e (met de wijzers van de klok mee).
De onderste zoethoutstokjes vormen een bijna aaneengesloten cirkel.

Kaart met perenguirlande

Nodig

- 6 theezakjes braam, peer & zoethout
- raamstempel
- hoekjesschaar (gele schaar van Fiskars met ronding)

Werkwijze

Stempel het raam op zachtgeel gemarmerd papier. Snijd alle raampjes weg.
Snijd het papier op maat (9,5 x 14 cm) en plaats het geheel op een donkergroene kaart.
Geef de raamopening aan en snijd deze ruim uit de groene kaart.
Knip met de hoekjesschaar de hoeken van het gele papier en de kaart rond.
Vorm van 5 afbeeldingen een guirlande door het 1e plaatje aan de linkerkant van het raam te plakken en vervolgens het 2e plaatje op het eerste te plakken, waarbij de (in dit geval) bovenste stokjes zoethout een boog vormen.

Knip tot slot nog een deel van een afbeelding, alleen de zoethoutstokjes en de beide bramenblaadjes, en plak dit aan de rechterzijde.
Zo begint en eindigt de guirlande met de 3 stokjes.

Vierkante kaart met krans in vierkant

Nodig
- 7 theezakjes braam, peer & zoethout
- randjesschaar

Werkwijze
Vouw een gewone kaart dubbel en snijd het onderste deel eraf. Je hebt nu een vierkante kaart van 10,5 x 10,5 cm.
Snijd donkerblauw papier uit (9 x 9 cm) en knip van zachtgeel gemarmerd papier een vierkant van ongeveer 8,5 x 8,5 cm.
Leg het 1e plaatje neer.
De zoethoutstokjes wijzen nu links naar boven.
Leg (werk met de wijzers van de klok mee) het 2e plaatje gedeeltelijk over het 1e en let erop dat de peren een cirkel vormen.
De zoethoutstokjes van het 2e plaatje vallen over het steeltje van de peer van het 1e plaatje.

Vierkante kaart met krans in cirkels

Nodig
- 6 theezakjes braam, peer & zoethout
- cirkelsnijder

Werkwijze
Vouw een gewone kaart dubbel en snijd het onderste deel eraf.
Je hebt nu een vierkante kaart van 10,5 x 10,5 cm.
Snijd met de cirkelsnijder uit zachtgeel gemarmerd papier een cirkel van 8,5 cm.
Stel de snijder een cm groter in en snijd uit donkerblauw papier een cirkel van 9,5 cm.
Leg de 1e afbeelding neer (de peer wijst naar boven).
Leg het 2e plaatje gedeeltelijk op het 1e (tegen de wijzers van de klok) en let erop dat het blaadje van de bramen van het 2e plaatje tegen de bramen van het 1e plaatje ligt.

Blauwe kaart met ton

Nodig
- 1 theezakje braam, peer & zoethout
- 1 overgebleven appeltje
- 1 theezakje zwarte bes, bosbes & venkel (alleen het groepje besjes uitknippen)
- stempels van ton en bijtje
- randjesschaar

Werkwijze
Knip allereerst uit zachtgeel gemarmerd papier een rechthoek (ongeveer
6 x 7,5 cm).
Let goed op de hoekjes (zie algemene
werkwijze). Plak dit op donkerblauw
papier en snijd het met 2 mm uit.
Plak dit op bruin ribbel-
karton en snijd dit met 5 mm uit.
Plak dat op een dubbele kaart.
Stempel de ton op ecopapier en knip
hem uit.
Snijd langs de rand van de ton en
schuif de appel erin.
Als je het blad los knipt van de appel
kun je de appel iets dieper in de ton
schuiven en steekt het blaadje eruit.
Plak de peer erboven en de besjes
erachter.
Plak de vruchten vast aan de ton en
op de kaart.
Stempel er nog een grappig bijtje
boven.

Cadeaulabeltje

Zie werkwijze blauwe kaart met ton.

Ecokaart met mand en ton

Nodig
• 4 theezakjes braam, peer & zoethout
• stempels van ton en rieten mand
• randjesschaar

Werkwijze
Knip uit zachtgeel gemarmerd papier
een vierkant van ongeveer 8 x 8 cm.
Plak dit op donkerblauw papier en
snijd dit met 3 mm weg.
Stempel de rieten mand en de ton los
van elkaar op lichtbruin papier en knip
ze uit.
Snijd de rand van de mand open.
Schuif de fruitjes in de opening van de
mand en plak ze aan de achterzijde
vast.
Je kunt van een van de plaatjes de
bramen en de blaadjes afknippen en
die uit de mand laten hangen.
Plak de rieten mand op de kaart en
plak de ton erop.
Er zijn manieren om dit direct op
elkaar te stempelen, maar ik vond dit
leuker om te doen.
Je kunt bovendien je compositie heel
makkelijk bijstellen door met de
uitgeknipte vormen te gaan schuiven.

Hoge vouwkaart met wit luxe papier (niet op dia)
(model E)

Nodig
• dubbele kaart
• wit luxe papier van 7,5 x 15 cm
• 6 theezakjes braam, peer & zoethout

Werkwijze
Leg het malletje van 4,7 x 4,7 net boven de tekst aan de onderkant en vouw model E. Plak de reep wit papier schuin op de kaart en snijd de onderkant in de vorm van de kaart. Plak hierop het vouwsel.

Vouwkaart met punt (model B)

Nodig
• kaart van 7,5 x 26 cm
• reep bijpassend karton van 6,5 x 25 cm
• 8 theezakjes braam, peer & zoethout

Model E

begin met fase 6 van model A

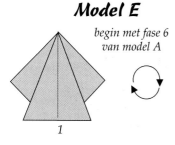
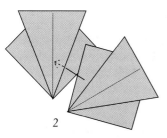
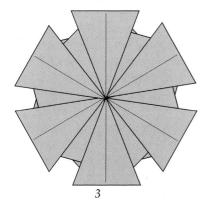

Model B

begin met fase 7 van model A

8x vouwen

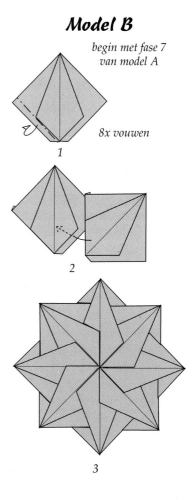

Werkwijze

Leg het malletje van 4,7 x 4,7 cm boven de tekst aan de onderkant en vouw model B.

Snij aan de kaart en aan de reep een punt. Draai de reep door de ribbelmaster en plak deze samen met het vouwsel op de kaart.

Vouwkaart met stukje jute
(model bloem 2)

Nodig

- kaart van 10,5 x 30 cm
- reep jute
- 7 theezakjes braam, peer & zoethout

Werkwijze

Leg het malletje 3,5 x 3,5 cm aan de onderkant met de gekleurde rand gelijk, midden op de vruchtjes.

Vouw bloem 2 en zorg ervoor dat bij tekening 1 de tekst aan de onderkant ligt. Vouw de kaart dubbel en werk de hoeken af met een hoekpons. Neem een reep jute, sla deze dubbel en plak hem samen met de bloem op de kaart.

Vierkante vouwkaart met zijdevezelpapier (niet op dia) (model F)

Nodig

- kaart A4
- origamipapier met zijdevezel
- 8 theezakjes abrikoos, perzik & kamille

Model F

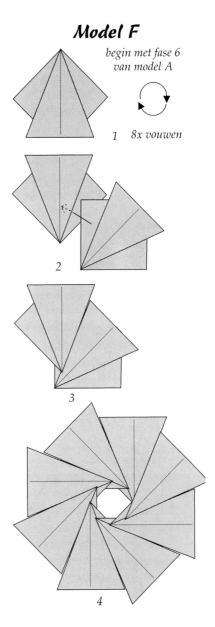

begin met fase 6 van model A

1   *8x vouwen*

2

3

4

Werkwijze

Leg het malletje van 4,7 x 4,7 cm boven de tekst aan de onderkant en vouw model F.

Snij de kaart 23 x 11,5 cm en vouw deze dubbel.

Met dubbelzijdig plakfolie het zijdevezelpapier op de bovenkant plakken.

Teken op het restant van de kaart de achthoekige passe-partout mal over en snijd deze 0,5 cm groter uit.

Smeer plak op deze rand van 0,5 cm en plak de achthoek op het midden van de kaart.

Leg de achthoekige mal in het midden en snijd het passe-partout uit.

Er zit nu een rand van 0,5 cm op de bovenkaart.

Leg de achthoek met het vezel papier gedraaid onder het gat en plak deze op de onderkaart.

Plak tot slot het vouwsel erop.

Hoge vouwkaart met twee blaadjes (model bloem 1)

Nodig

- dubbele kaart
- reep bijpassend karton van 7 x 16 cm
- 2 exotische blaadjes
- 1 kleine bruine pom-pom
- 8 theezakjes braam, peer & zoethout

Werkwijze

Leg het malletje van 3,5 x 3,5 cm boven de tekst 'zoethout' en vouw bloem 1.

Ribbel het middenstuk van de reep karton en plak dit rechts op de kaart.

Knip de hoeken met een hoekschaar.

Plak twee blaadjes op de kaart met daarop de bloem.

Knip de pom-pom wat kleiner en plak deze op het hart van de bloem.

Decoupage met theezakjes (foto achterzijde)

De echte fanaten beplakken ook dienbladen, dozen en allerlei soorten kistjes en kastjes met uitgeknipte theezakjes.

Nodig

- 37 theezakjes braam, peer & zoethout (dienblad)
- 6 theezakjes braam, peer & zoethout (doosje)
- schuurpapier
- Talens Wood/Stone pastelgeel (226) en antiekgrijs (720)
- Talens Antique Paste goudkleurig (814)
- Talens blanke matglanzende vernis
- dikke penseel
- boekbinderslijm

Werkwijze

Allereerst het blanke hout goed schuren en verven met pastelgeel.

Als de verf droog is, op de bovenste rand van het dienblad (eventueel ook in de openingen aan de zijkant) een accent aanbrengen met antiekgrijs. Dit niet laten drogen maar met een vochtige doek verspreiden over de zijkanten en langs de rand.

De rand ziet er dan uit alsof de verf versleten is. Je kunt de gele verf door de antiekgrijze verf heen zien.

De zijkanten worden hier en daar met een vage antiekgrijze streep bedekt. De verf nu wel goed laten drogen.

Daarna op de randen en langs de bodem de goudkleurige antiekpasta aanbrengen.

Dit kun je doen met de top van je vinger, of met een doekje.

Voor het doosje geldt hetzelfde: eerst schuren en geel verven, daarna op de rand van de doos de antiekgrijze verf aanbrengen en met een vochtige doek uitpoetsen.

Tot slot ook op de randen wat antiekpasta aanbrengen.

Daarna volgt het leukste: het opplakken van de plaatjes uit de theezakjes. Zoals je ziet plak je de plaatjes eerst tegen de rand van het dienblad aan. Vervolgens maak je een cirkel van de peertjes.

Leg het eerste peertje met het steeltje omhoog neer.

Leg het volgende peertje tegen het 1e peertje aan, en let erop dat de bramen er tussen uit steken.

Mocht er nog een sprietje onder een peertje uitsteken, dan kun je dit afknippen.

Werk tegen de richting van de klok in. Gebruik 11 peertjes om de cirkel te maken en plak hem voorzichtig in elkaar, en daarna pas in zijn geheel op het dienblad.

Gebruik hele kleine strookjes Scotch Magic Tape om de plaatjes aan elkaar te bevestigen. Je kunt dan nog net zoveel correcties aanbrengen als je wilt. Dan pas aan elkaar plakken en op het dienblad plakken.

Voor het doosje doe je dat op dezelfde wijze, alleen zijn er maar 6 plaatjes gebruikt. Kies een van de kransen van de kaarten of leg zelf een mooie krans.

Teken eerst de omtrek van het dekseltje op papier en leg daar de krans in. De afmetingen zullen dan goed kloppen.

Tot slot lak je de werkstukken ter bescherming af met een matglanzende blanke lak.

Gemengd fruit

Door rood papier en alle vruchten en kruiden te gebruiken zien de kaarten er vrolijk en gezond uit! Het plakken van de kransen is een beetje 'gevoelswerk'. De vierkante kaarten hebben allemaal dezelfde afmeting: vouw een gewone kaart dubbel en snijd er een stukje af. Je houdt dan vierkante kaarten van 10,5 x 10,5 cm over. Het gele gemarmerde papier is gekocht in een kopieerwinkel en de afbeeldingen van de kruiwagen en de grote fruitschaal komen uit servetten.

Vierkante rode kaart met krans in vierkant

Nodig
- 3 theezakjes zwarte bes, bosbes & venkel
- 3 theezakjes abrikoos, perzik & kamille
- 3 theezakjes appel, kaneel & honing

Werkwijze
Knip van de zwarte bes, bosbes & venkel alleen de besjes af. De andere plaatjes knip je helemaal uit. Snijd een cirkel van 7 cm uit geel gemarmerd papier. Snijd een vierkant uit rood papier van 8 x 8 cm en een vierkant uit ribbelkarton van 9,5 x 9,5 cm.

Plak alles op de kaart. Leg eerst de abrikoos, perzik & kamille neer. De bloemen wijzen naar de buitenrand van de cirkel en de plaatjes verdeel je over de cirkel. Leg vervolgens de appel, kaneel & honing er bovenop. De appels liggen half over de abrikozen. Plak de besjes onder de honingraten.

Kaart met kruiwagen

Nodig
- 2 theezakjes zwarte bes, bosbes & venkel
- 1 theezakje abrikoos, perzik & kamille
- 1 theezakje appel, kaneel & honing
- 1 theezakje braam, peer & zoethout
- randjesschaar
- papieren servet

Werkwijze
Knip de kruiwagen netjes uit de servet. Knip uit geel gemarmerd papier een rechthoek van ongeveer 7,5 x 11 cm. Plak dit op rood papier (8,5 x 12 cm) en plak alles op een kaart. Plak de afbeelding van de kruiwagen op het gemarmerde papier en plak de uitgeknipte plaatjes erop. Je kunt langs de rand van de kruiwa-

gen snijden en de onderste stukjes fruit erin schuiven.
Stempel (met groene inkt, zodat het 'hoort' bij de groene kruiwagen) een bijtje.

Vierkante kaart met fruitmand

Nodig
- 1 theezakje zwarte best, bosbes & venkel
- 1 theezakje abrikoos, perzik & kamille
- 1 theezakje appel, kaneel & honing
- 2 theezakjes braam, peer & zoethout
- hoekschaar

Werkwijze
Snijd met de cirkelsnijder uit geel gemarmerd papier een cirkel van 8 cm. Vervolgens uit rood papier een cirkel van 9 cm. Plak dit midden op de kaart.
Knip met een hoekschaar de hoekjes van een vierkant stuk rood papier en plak de afgeknipte hoekjes op.
Het overgebleven vierkant kan je voor een andere kaart gebruiken.
Stempel de mand op bruin papier en knip het uit.
Snijd langs de onderste rand.
Schuif de fruitjes gedeeltelijk in de mand.
Knip nog een paar blaadjes van de bramen uit en plak ze over de rand van de mand.

Rode kaart met fruitschaal

Nodig
- 1 theezakje zwarte bes, bosbes & venkel (alleen de bessen uitknippen)
- 1 theezakje abrikoos, perzik & kamille
- 1 theezakje appel, kaneel & honing (alleen de appel uitknippen)
- 1 theezakje braam, peer & zoethout
- grote embossingmal (groen op A4 formaat)

Werkwijze
Teken met behulp van de embossingmallen een ovaal op geel gemarmerd papier en knip deze uit.
Snijd uit ribbelkarton een stukje van 8 x 11,5 cm en plak alles op de kaart.
Knip de fruitschaal uit en maak van het fruit een mooie compositie.

Vierkante kaart met fruitkrans in cirkels

Nodig
- 4 theezakjes zwarte bes, bosbes & venkel (alleen de bessen uitknippen)
- 4 theezakjes abrikoos, perzik & kamille
- 4 theezakjes braam, peer & zoethout
- cirkelsnijder

Werkwijze
Snijd met de cirkelsnijder uit geel gemarmerd papier een cirkel van

8,5 cm en daarna uit rood papier een cirkel van 10 cm.

Plak dit op de kaart. Leg de abrikozen, perzik & kamille op gelijke afstanden van elkaar met de bloemen naar de buitenzijde van de cirkel.

Leg de braam, peer & zoethout daartussen (gedeeltelijk er bovenop).

Plak de bessen half op de peren.

Gefeliciteerd

Nodig
- 3 theezakjes abrikoos, perzik & kamille
- 3 theezakjes appel, kaneel & honing
- 3 theezakjes braam, peer & zoethout

Werkwijze

De ovaal en de afmetingen zijn hetzelfde als de rode kaart met fruitschaal.

Begin met de abrikoos, perzik & kamille.

Verdeel ze over de ovaal en leg ze neer met de bloemen naar de buitenste rand van het ovaal.

Werk nu in de richting van de klok en leg de appel, kaneel & honing gedeeltelijk op de abrikoos.

Leg nu de braam, peer & zoethout op de overgebleven ruimte, waarbij het steeltje van de peer op de honingraat ligt en de zouthoutstokjes op de perzik.

Zwarte bes, bosbes en venkel

Deze plaatjes zijn leuk om nog eens extra te versieren.

Model D

begin met fase 7 van model C

1

2

3

Vouwkaart met geruit strikje
(model D)

Nodig
- 2 kaarten van 7 x 13 cm
- bijpassend kaartje van 6 x 6 cm
- lintje
- 8 theezakjes zwarte bes, bosbes & venkel

Werkwijze
Leg het malletje van 3,5 x 3,5 cm boven de tekst aan de onderkant en 3 mm vanaf de linkerkant.
Vouw model D.
Leg de kaarten op elkaar, maak er twee gaatjes in en strik het lintje erdoor.
Draai het kleine kaartje horizontaal en verticaal door de ribbelmaster en rond de hoeken met een hoekpons.
Plak het diagonaal op de kaart en plak hierop het vouwsel.

Kaart met grasjespapier
(model C)

Nodig
- kaart van 10 x 30 cm
- punt natuurpapier met grasjes
- exotisch blad
- 8 theezakjes zwarte bes, bosbes en venkel

Werkwijze

Leg het malletje van 4,7 x 4,7 cm boven de tekst aan de onderkant en vouw model C.

Vouw de kaart dubbel.

Plak met dubbelzijdig plakfolie een punt natuurpapier op de kaart.

Plak daarop het blaadje en het vouwsel.

Werk de hoeken af met een hoekpons.

Hoge kaart met drie bloemetjes (model bloem 2)

Nodig
- kaart van 21 x 15 cm
- takje
- 21 theezakjes zwarte bes, bosbes en venkel

Werkwijze

Leg het malletje van 2,5 x 2,5 cm 7 x rechts op het venkeltakje, 7 x links op de besjes en 7 x midden op de vruchtjes.

Maak drie verschillende bloemen nr. 2.

Plak het takje met de bloemen op de kaart en werk de hoeken af met een hoekpons.

Vierkant kaart met donker bruin natuur papier (model bloem 1)

Nodig
- kaart van 11,5 x 23 cm + een stukje van 6,5 x 6,5 cm
- natuurpapier van 9 x 9 cm
- 8 theezakjes zwarte bes, bosbes & venkel

Werkwijze

Leg het malletje van 3 x 3 cm boven de tekst aan de onderkant, midden op de vruchtjes. Vouw bloem 1. Vouw de kaart dubbel en plak rechts onder in de hoek het natuurpapier en het kaartje van 6,5 cm. Plak daarop het vouwsel.

Oorbellen

Korte oorbellen (foto blz. 43)

Nodig
- 2 kettelstiften
- 2 oorhaakjes
- 6 theezakjes abrikoos, perzik & kamille

Werkwijze
Leg het malletje boven de tekst aan de onderkant. Zorg ervoor dat bij tekening 1 de tekst aan de linkerkant ligt. Vouw 2 x een tolletje. Buig de onderkant van de kettelstift om en zet deze met wat lijm in het tolletje vast. Maak het oorhaakje aan de kettelstift.

Model oorbel

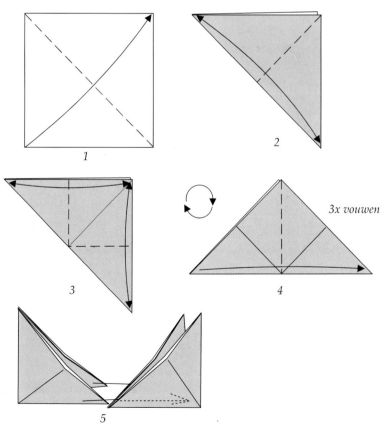

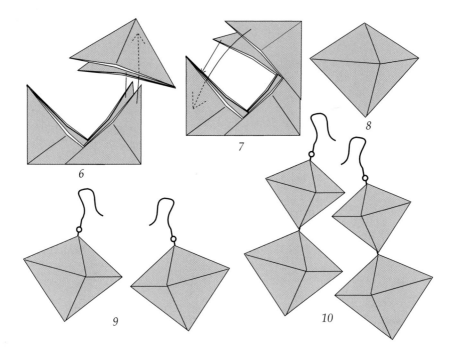

Lange oorbellen (foto blz. 31)

Nodig
- 2 kettelstiften
- 2 oorhaakjes
- 12 theezakjes braam, peer & zoethout

Werkwijze
Snij 6 papiertjes van 4,7 x 4,7 cm. Leg het malletje boven de tekst aan de onderkant.
Snij 6 papiertjes van 3,5 x 3,5 cm, leg het malletje hiervoor midden op de vruchtjes, boven de tekst aan de onderkant.
Zorg er bij het vouwen voor dat bij te-kening 1 de tekst aan de onderkant ligt.
Schuif de elementen in elkaar, maar laat nog een opening in het midden. Maak 2 grote en 2 kleine tolletjes. Buig aan de onderkant de kettelstift om en stop deze met wat lijm in het grootste tolletje.
Schuif dan de elementen van het tolle-tje helemaal in elkaar en zet ze met wat lijm vast.
Vervolgens het kleine tolletje om de kettelstift doen, ook goed aanschuiven en met lijm vast zetten. Het oogje van de kettelstift moet boven het kleine tolletje uitkomen.
Hieraan wordt het oorhaakje vast gemaakt.

Doosjes

Rond spanen doosje (blz. 15)
(model bloem 1)

Nodig
- spanen doosje 7 cm Ø
- lint
- 8 theezakjes appel, kaneel & honing

Werkwijze
Leg het malletje van 3 x 3 cm midden op de vruchten, boven de tekst aan de onderkant.
Vouw bloem 1. Plak een lintje om het doosje en het vouwsel op het deksel.

Ovaal houten doosje (blz. 0)
(model bloem/mobile)

Nodig
- ovaal doosje van ± 5 cm
- 16 theezakjes zwarte bes, bosbes & venkel

Werkwijze
Snij 12 papiertjes van 3 x 3 cm. Leg hiervoor het malletje aan de linkerkant op de vruchtjes, boven de tekst aan de onderkant.
Vouw de bloem/ mobile en plak deze op het deksel.
Knip 4 vruchtjes uit en plak die op het doosje.

Bloembakje
(foto voorkant omslag)

(model bloem/mobile)

Nodig
- groen ribbelkarton voor het bakje
- oase voor droogbloemen
- licht okergeel karton
- satéprikkers
- groen bloemenband
- groen papiertouw
- 48 theezakjes abrikoos, perzik & kamille
- 60 theezakjes zwarte bes, bosbes & venkel

Werkwijze
Leg voor alle bloemen het malletje van 4,7 x 4,7 cm boven de tekst aan de onderkant.
Je kunt verschillende bloemen maken door bij tekening 1 de tekst links of onder te leggen.
Gebruik voor een bloem wel 12 op dezelfde manier gevouwen papiertjes.
Teken de achterkant van de bloem over op oker karton en knip deze uit.
Knip uit groen papiertouw blaadjes van verschillend formaat uit.
Maak een stengel door groen bloemenband om een satéprikker te draaien.
Zet op verschillende hoogten een blad met het bloemenband vast op de stengel.

Plak de stengel en de gevouwen
bloem op de geknipte achterkant.
Maak stengels van verschillende leng-
tes.
Leg de oase in het bakje en steek de
bloemen erin.
De oase eventueel met een lijmpistool
vastzetten in het bakje. Leg op de
oase wat mos.

Model bloemblad

Model achterkant bloem

Model bloembakje

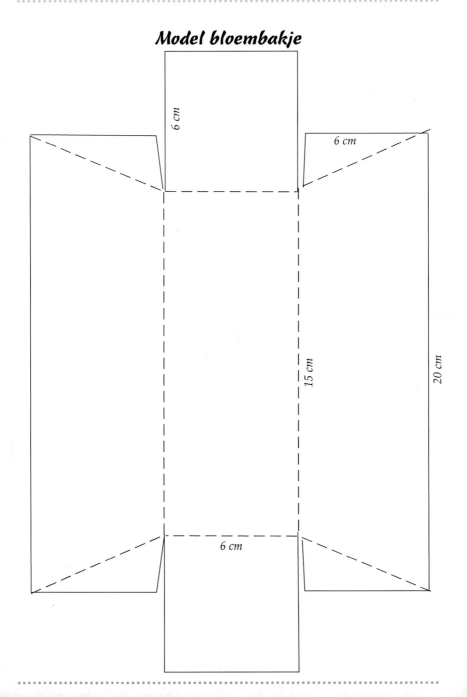

Mobile (foto blz. 47)

(model bloem/mobile)

Nodig
- houten mobile stokjes met kralen
- licht oker geel karton
- 24 dezelfde theezakjes voor iedere bloem

Werkwijze
Deze bloemen worden op dezelfde manier gemaakt als die in het bakje. Teken de achterkant van de bloem over op okergeel karton en plak aan de voor- en achterkant een gevouwen exemplaar.
Plak er een dun draadje tussen en maak ze vast aan de mobile stokjes.

Model bloem / mobile

maak 4x fase 8 van de oorbel en plak ze tegen elkaar

de gearceerde vlakken lijmen

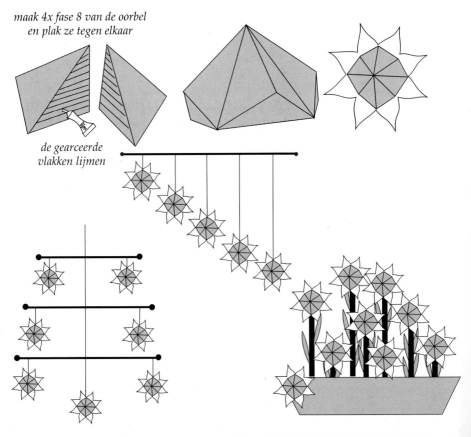